COCINAR A BUEN PRECIO
recetas al minuto

COCINAR A BUEN PRECIO
recetas al minuto

con ingredientes fáciles de encontrar y preparar

p

Copyright © Parragon Books Ltd.
Queen Street House
4 Queen Street
Bath BA1 1HE
Reino Unido

Diseño: Fiona Roberts
Fotografías y textos: The Bridgewater Book Company Ltd.

Copyright © Parragon Books Ltd. 2006 de la edición en español

Traducción del inglés: Laura Sales Gutiérrez para LocTeam, S. L., Barcelona
Redacción y maquetación de la edición en español: LocTeam, S. L., Barcelona

ISBN: 1-40546-486-0

Impreso en China
Printed in China

NOTA
Todas las cucharadas utilizadas como unidad son rasas: una cucharadita equivale a 5 ml y una
cucharada a 15 ml. Si no se indica lo contrario, la leche que se utiliza en las recetas es entera;
los huevos y las hortalizas, como por ejemplo las patatas, son de tamaño mediano, y la
pimienta es negra y recién molida.

Los tiempos de preparación y cocción de las recetas son aproximados, ya que pueden variar
en función de las técnicas empleadas por cada persona y según el tipo de horno o fogón
utilizados.

Las recetas que incluyen huevos crudos o poco hechos no son recomendables para niños,
ancianos, embarazadas, personas convalecientes o enfermas. Se aconseja a las mujeres
embarazadas o lactantes no consumir cacahuetes ni derivados.

contenido

introducción

A veces parece que para nuestra alimentación nos vemos obligados a escoger entre platos económicos pero que exigen mucho tiempo y otros más caros, aunque prácticos. No tiene por qué ser así: se pueden preparar platos deliciosos y nutritivos sin pasar horas y horas esclavizado ante los fogones ni desmontar el presupuesto familiar. En realidad es asombrosamente fácil: basta con variar un poco la concepción que tenemos de lo que es la cocina rápida y seguir las recetas de este libro. Todos los platos se pueden preparar en un instante y cocinar en menos de una hora.

Tenemos tendencia a creer que sólo los cortes de carne más caros, como el filete de vacuno o el lomo de cerdo, son aptos para la cocina rápida. Esta percepción es en gran medida correcta, pero con un pequeño cambio de perspectiva descubrirá que hay excepciones a la regla. Por ejemplo, las albóndigas y los salteados son platos muy rápidos, sencillos y económicos, e igualmente deliciosos. El pollo siempre tiene una buena relación calidad precio y pocos saben que las piezas de pollo más oscuras y baratas tienen un sabor más intenso que las pechugas, más caras. No obstante, siempre resultará más económico comprar un pollo entero y trocearlo en casa que adquirirlo por piezas.

Los nutricionistas recomiendan comer cinco raciones de frutas y hortalizas al día, y dado que cuestan mucho menos que la carne, el director del banco probablemente nos daría el mismo consejo. En cualquier caso, merece la pena considerar la dieta vegetariana ocasional, sobre todo si se tiene en cuenta que las hortalizas de temporada suelen ser mucho más económicas que las importadas fuera de su tiempo. Además, muchas hortalizas saben mejor y conservan más nutrientes si se someten a una cocción rápida. Tampoco hay que olvidar productos naturales tan prácticos como los huevos y el queso. Pueden ser la base de muchos platos deliciosos que se preparan en un santiamén y cuestan poco dinero.

La lista de la compra

Planifique las comidas con antelación, haga una lista de la compra y sígala. Evite las visitas apresuradas al supermercado a la hora de comer, no compre el primer producto que vea ni platos preparados: siempre resulta más caro. Los productos congelados y refrigerados pocas veces son tan apetitosos como parece en el envase, a menudo no sacian el apetito y nunca resultan tan deliciosos como la comida casera. Las salsas preparadas en realidad no ahorran mucho tiempo y además suelen incluir aromas, colorantes y conservantes, y tienen un precio

COSTE	
$	Muy bajo
$$	Bajo
$$$	Medio

abusivo en comparación con unos tomates en conserva, unas especias y una cebolla, o un poco de harina, mantequilla, leche y queso rallado. Se puede preparar una salsa de tomate o de queso mucho más sabrosa en casa, en un abrir y cerrar de ojos, y por mucho menos dinero.

Hay gran variedad de platos rápidos que se hacen con los ingredientes más sencillos.

Tiempo y dinero

■ Algunos alimentos son más fáciles de cortar con tijeras que con un cuchillo, como las hierbas aromáticas y el beicon.

■ Mucha gente tiene utensilios de cocina que no utiliza casi nunca. Si dispone de un robot de cocina, aprovéchelo para ahorrar tiempo a la hora de picar, cortar, rallar, desmenuzar y hacer pan rallado (no tire el pan duro, rállelo).

Es fácil preparar platos deliciosos en pocos minutos, incluso con un presupuesto ajustado.

▣ Es más fácil y rápido no pelar algunas hortalizas. Además, si las cuece con la piel conservan más nutrientes.

▣ Cuando hornee patatas, clave una brocheta de metal en el centro. Así se acelera la cocción y, por tanto, se reduce el consumo energético.

▣ Compre siempre el pollo fresco. Con las aves congeladas puede pagarse hasta un diez por ciento de agua.

▣ En cuanto a productos cárnicos como las salchichas, lo barato sale caro. Su sabor deja bastante que desear, pero además suelen reventar durante la cocción, a menos que se cuezan muy lentamente. También desprenden mucha grasa, por lo que el producto cocinado no suele ser muy apetitoso.

salsa de tomate instantánea

- para unos 400 g
- tiempo de preparación: 5 minutos
- tiempo de cocción: 4 - 6 minutos

1 cucharada de aceite vegetal
2 dientes de ajo majados
400 g de tomate troceado en conserva
unas gotas de salsa Tabasco
sal y pimienta

1 Caliente el aceite en una sartén y fría el ajo, removiendo con frecuencia, durante 2 o 3 minutos. Añada los tomates con su jugo y llévelos a ebullición, sin dejar de remover. Cuézalos a fuego vivo durante 2 o 3 minutos o hasta que se espese la salsa. No deje de remover y vaya despegando la salsa del fondo de la sartén.

2 Aparte la sartén del fuego, salpimiente la salsa al gusto y aderece con unas gotas de Tabasco.

sopas, entrantes y guarniciones

Mucha gente sabe que la sopa casera es un plato barato, pero

quizá le sorprenda saber que no es necesario cocer un caldo

durante horas para que resulte delicioso. Igual de apetitosas

le parecerán las demás recetas de este capítulo, tanto si

son entrantes, platos ligeros o guarniciones.

crema de brécol

$$

- para 6 personas
- tiempo de preparación: 10 minutos
- tiempo de cocción: 20 - 25 minutos

350 g de brécol

1 puerro en rodajas

1 tallo de apio en rodajas

1 diente de ajo majado

350 g de patatas en dados

1 l de caldo de verduras

1 hoja de laurel

pimienta negra recién molida

pan del día o picatostes,
**   para acompañar**

1 Separe el brécol en ramilletes y resérvelos. Corte los tallos más gruesos en dados de 1 cm de grosor e introdúzcalos en una cacerola grande junto con el puerro, el apio, el ajo, las patatas, el caldo y la hoja de laurel. Llévelos a ebullición, reduzca el fuego, tape la cacerola y déjelos cocer a fuego lento durante 15 minutos.

2 Añada los ramilletes de brécol a la sopa y llévela de nuevo a ebullición. Reduzca el fuego, tape la cacerola y cueza la sopa a fuego lento de 3 a 5 minutos más

o hasta que las patatas y los tallos de brécol estén tiernos.

3 Aparte la cacerola del fuego y déjela enfriar un poco. Deseche el laurel. Triture la sopa en un robot de cocina o una batidora, en pequeñas tandas, hasta obtener una crema uniforme.

4 Coloque la crema al fuego y caliéntela bien. Salpimiéntela al gusto. Sírvala de inmediato en boles calientes con trozos de pan del día o picatostes.

1   1   1

crema de zanahoria y naranja

$$

- para 6 personas
- tiempo de preparación: 10 minutos
- tiempo de cocción: 20 minutos

55 g de mantequilla
2 cebollas ralladas
sal y pimienta
700 g de zanahorias ralladas
1 patata grande rallada
2 cucharadas de ralladura
  de naranja

1,5 l–1,75 l de agua hirviendo
zumo de 1 naranja grande
2 cucharadas de perejil fresco
  picado, para decorar

1

1 Funda la mantequilla en una cacerola grande de fondo pesado. Añada las cebollas y sofríalas a fuego medio, removiendo constantemente, durante 3 minutos. Agregue una pizca de sal, las zanahorias y la patata. Tape la cacerola, reduzca el fuego y sofría las hortalizas durante 5 minutos más.

2

2 Incorpore la ralladura de naranja y añada agua hirviendo hasta cubrir todos los ingredientes. Lleve el caldo a ebullición, tape la cacerola y cuézalo a fuego vivo durante 10 minutos. A continuación vierta el zumo de naranja.

3

3 Aparte la cacerola del fuego y deje enfriar un poco la sopa antes de pasarla a un robot de cocina. Tritúrela hasta obtener una crema homogénea (también puede usar una batidora eléctrica de mano y triturar la sopa en la misma cacerola). Vierta de nuevo la crema en la cacerola, con un poco de agua hirviendo si resulta demasiado espesa, y llévela al punto de ebullición. Pruébela, salpiméntela si es necesario, y sírvala en boles calientes. Decórela con perejil picado y sírvala de inmediato.

sopa de tomate y pimiento

\$\$

■ para 4 personas
■ tiempo de preparación: 15 minutos
■ tiempo de cocción: 35 minutos

2 pimientos rojos grandes
1 cebolla grande en trozos
2 tallos de apio sin hojas y
    troceados
1 diente de ajo majado
600 ml de caldo de verduras
2 hojas de laurel
800 g de tomates de pera
    en conserva
sal y pimienta
2 cebolletas ralladas finas,
    para decorar
pan del día, para acompañar

1 Precaliente el grill del horno. Deseche las pepitas de los pimientos y córtelos por la mitad. Áselos en la rejilla de 8 a 10 minutos o hasta que estén tiernos y tengan la piel chamuscada. Deles la vuelta de vez en cuando.

2 Déjelos enfriar un poco, pélelos con cuidado y trocéelos. Reserve un trocito y pase el resto a una cacerola grande.

3 Agregue la cebolla, el apio y el ajo, y mézclelo todo. Añada a continuación el caldo y las hojas de laurel. Llévelos a ebullición, tape la cacerola y cuézalos a fuego lento durante 15 minutos. Aparte la cacerola del fuego.

4 Añada los tomates y tritúrelos en un robot de cocina unos segundos, hasta obtener una mezcla homogénea. Pásela a la cacerola.

5 Salpimiente la sopa al gusto y caliéntela bien 3 o 4 minutos. Sírvala en boles calientes, decorada con el pimiento reservado cortado en tiras y la cebolleta, y acompañada de pan del día.

1

2

4

sopa de pollo con fideos chinos

$$$

- para 4 - 6 personas
- tiempo de preparación: 10 minutos
- tiempo de cocción: 25 minutos

1 hoja de fideos chinos al
huevo secos, de un envase
de 250 g
1 cucharada de aceite
4 muslos de pollo, sin piel ni
huesos, cortados en dados
1 manojo de cebolletas
en rodajas

2 dientes de ajo picados
2 cucharaditas de jengibre
fresco bien picado
200 ml de leche de coco
3 cucharaditas de pasta
de curry rojo
3 cucharadas de mantequilla
de cacahuete

2 cucharadas de salsa
de soja clara
1 l de caldo de pollo
1 pimiento rojo pequeño
troceado
60 g de guisantes
congelados
sal y pimienta

1. Ponga los fideos en remojo en un plato poco hondo con agua hirviendo, siguiendo las instrucciones del envase.

2. Caliente el aceite en una sartén o un wok precalentados.

3. Añada el pollo troceado y fríalo durante 5 minutos, sin dejar de remover, hasta que se dore ligeramente.

4. Agregue la parte blanca de las cebolletas, el ajo y el jengibre, y fríalos durante 2 minutos, removiendo al mismo tiempo.

5. Vierta el caldo de pollo, la leche de coco, la pasta de curry rojo, la mantequilla de cacahuete y la salsa de soja.

6. Salpimiente al gusto. Lleve el caldo resultante a ebullición, revolviendo al mismo tiempo, y cuézalos a fuego lento durante 8 minutos, removiendo de vez en cuando.

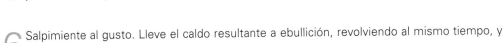

7. Agregue el pimiento rojo, los guisantes y los tallos verdes de las cebolletas, y déjelos cocer 2 minutos.

8. Añada los fideos, escurridos previamente, y deje que se calienten bien. Sirva la sopa en boles calientes, con una cuchara y un tenedor.

sopa de garbanzos con tomate

$$

- para 4 personas
- tiempo de preparación: 5 minutos
- tiempo de cocción: 15 minutos

2 cucharadas de aceite de oliva

2 puerros en rodajas

2 calabacines en dados

2 dientes de ajo majados

800 g de tomates troceados en conserva

1 cucharada de tomate triturado

1 hoja de laurel

850 ml de caldo de verduras

400 g de garbanzos en conserva lavados y escurridos

225 g de espinacas

sal y pimienta

queso parmesano recién rallado, para servir

1 Caliente el aceite en una cacerola grande, añada los puerros y los calabacines, y sofríalos a fuego vivo durante 5 minutos, removiendo constantemente.

2 Agregue el ajo, los tomates, el tomate triturado, la hoja de laurel, el caldo de verduras y los garbanzos.

3 Lleve la sopa a ebullición y cuézala a fuego lento durante 5 minutos.

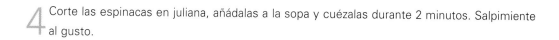

4 Corte las espinacas en juliana, añádalas a la sopa y cuézalas durante 2 minutos. Salpimiente al gusto.

1

5 Deseche la hoja de laurel. Sirva la sopa inmediatamente con queso parmesano recién rallado y pan con tomates secados al sol tibios.

NOTA: Merece la pena comprar un trozo grande de parmesano fresco ya que se conserva durante mucho tiempo en el frigorífico.

2

4

potaje de judías a la toscana

- para 6 personas
- tiempo de preparación: 15 minutos
- tiempo de cocción: 20 minutos

**300 g de judías blancas en
conserva escurridas y lavadas**

**300 g de judías pintas en
conserva escurridas y lavadas**

**unos 600 ml de caldo de pollo o
verduras**

**115 g de tiburones u otra
variedad de pasta seca
pequeña**

**4–5 cucharadas de aceite
de oliva**

**2 dientes de ajo muy bien
picados**

**3 cucharadas de perejil fresco
picado**

sal y pimienta

1 Introduzca la mitad de las judías blancas y pintas en un robot de cocina junto con la mitad del caldo, y tritúrelas hasta obtener una consistencia homogénea. Vierta la mezcla en una cacerola grande de fondo pesado y añada las judías restantes. Agregue el caldo necesario para obtener la consistencia deseada y llévelo a ebullición.

2 Añada la pasta y lleve el caldo de nuevo a ebullición. A continuación reduzca el fuego y cueza la pasta 15 minutos o hasta que esté *al dente*.

3 Mientras tanto, caliente 3 cucharadas de aceite en una sartén pequeña. Fría el ajo, removiendo constantemente, durante 2 o 3 minutos o hasta que se dore. Agréguelo a la sopa, junto con el perejil. Salpimiente al gusto y sirva en boles calientes. Vierta un chorrito de aceite de oliva al gusto y sirva el potaje de inmediato.

1

2

3

sopa de pasta y lentejas

$$

- para 4 personas
- tiempo de preparación: 5 minutos
- tiempo de cocción: 25 minutos

4 tiras de beicon entreverado
cortado en cuadraditos
1 cebolla troceada
2 dientes de ajo majados
2 tallos de apio troceados
50 g de lacitos o
espaguetis en trozos pequeños

400 g de lentejas en conserva
escurridas
1,25 l de caldo de verduras
caliente
2 cucharadas de menta fresca
picada
ramitas de menta fresca, para
decorar

1

1 Pase el beicon por una sartén grande sin aceite junto con la cebolla, el ajo y el apio durante 4 o 5 minutos, removiendo al mismo tiempo, hasta que la cebolla esté tierna y el beicon empiece a dorarse.

2 Agregue la pasta a la sartén y fríala durante 1 minuto removiéndola para que se impregne de grasa.

2

3 Añada las lentejas y el caldo, y llévelos a ebullición. Reduzca el fuego y cuézalos de 12 a 15 minutos o hasta que la pasta esté *al dente*.

4 Aparte la sartén del fuego e incorpore la menta fresca picada. Pase la sopa a boles calientes, decórela con ramitas de menta fresca y sírvala inmediatamente.

3

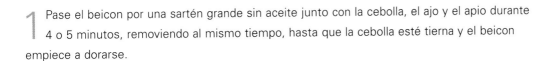
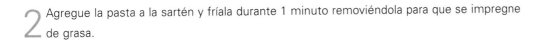

buñuelos de calabacín

■ para 16 - 30 unidades

■ tiempo de preparación: 5 - 10 minutos

■ tiempo de cocción: 20 minutos

100 g de harina de fuerza

2 huevos batidos

50 ml de leche

300 g de calabacines

2 cucharadas de tomillo fresco

1 cucharada de aceite

sal y pimienta

1 Tamice la harina de fuerza en un bol grande y haga un hueco en el centro. Casque los huevos dentro del hueco y con una cuchara de madera mézclelos poco a poco con la harina.

2 Añada la leche lentamente, removiendo sin parar, hasta formar una masa espesa.

3 Lave los calabacines y rállelos sobre un bol forrado con papel de cocina, de modo que este absorba parte del jugo.

4 Agregue a la masa los calabacines y el tomillo y salpimiente al gusto. Mezcle bien.

5 Caliente el aceite en una sartén grande de fondo pesado. Tome una cucharada de masa, si quiere hacer buñuelos de tamaño mediano, o media, si los prefiere más pequeños, y deposítela en el aceite caliente. Fríalos por tandas, entre 3 y 4 minutos por cada lado.

6 Retire los buñuelos con una espumadera y déjelos escurrir bien sobre papel de cocina absorbente. Manténgalos calientes dentro del horno mientras prepara el resto. Emplátelos y sírvalos calientes.

1   3   4

hamburguesas de judías

$$

- para 4 personas
- tiempo de preparación: 15 minutos
- tiempo de cocción: 20 minutos

1 cucharada de aceite de girasol y un poco más para untar las hamburguesas

1 cebolla bien picada

1 diente de ajo bien picado

1 cucharadita de cilantro molido

1 cucharadita de comino molido

115 g de champiñones bien picados

425 g de judías pintas o rojas en conserva escurridas y lavadas

2 cucharadas de perejil fresco picado

harina, para espolvorear

sal y pimienta

panecillos de hamburguesa y ensalada, para acompañar

1 Caliente el aceite en una sartén de fondo pesado. Sofría la cebolla durante 5 minutos, removiendo de vez en cuando, hasta que esté tierna. Añada el ajo, el cilantro y el comino, y fríalos 1 minuto más, removiendo con frecuencia. Agregue a continuación los champiñones y prosiga la cocción, removiendo constantemente, 4 o 5 minutos más, hasta que se evapore todo el líquido. Pase el sofrito a un bol.

1

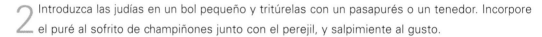

2 Introduzca las judías en un bol pequeño y tritúrelas con un pasapurés o un tenedor. Incorpore el puré al sofrito de champiñones junto con el perejil, y salpimiente al gusto.

3 Espolvoree la mezcla con harina. Divida la mezcla en 4 porciones y forme 4 hamburguesas, redondas y planas. Úntelas con aceite y áselas en el grill del horno precalentado durante 4 o 5 minutos por cada lado. Sírvalas de inmediato en panecillos de hamburguesa acompañadas de ensalada.

2

3

patatas asadas con lima

$$

- para 4 personas
- tiempo de preparación: 10 minutos
- tiempo de cocción: 15 - 20 minutos

450 g de patatas con piel limpias
3 cucharadas de mantequilla fundida
2 cucharadas de tomillo fresco picado
pimentón, para espolvorear

MAYONESA DE LIMA
150 ml de mayonesa
2 cucharaditas de zumo de lima
ralladura fina de 1 lima
1 diente de ajo majado
una pizca de pimentón
sal y pimienta

1 Corte las patatas en rodajas de 1 cm de grosor.

2 Cuézalas en una cacerola con agua hirviendo de 5 a 7 minutos; deben quedar un poco duras. Retírelas con una espumadera y escúrralas bien.

3 Forre una bandeja de horno con papel de aluminio y coloque una capa de rodajas de patata.

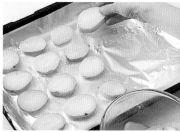

3

4 Unte las patatas con la mantequilla fundida y espolvoréelas con el tomillo picado. Salpimiente al gusto.

5 Ase las patatas al grill, precalentado a temperatura media, durante 10 minutos. Deles la vuelta una vez durante la cocción.

4

6 Mientras tanto, mezcle en un bol la mayonesa, el zumo y la ralladura de lima, el ajo y el pimentón, y salpimiente la mezcla al gusto.

7 Espolvoree las rodajas de patata calientes con un poco de pimentón y sírvalas de inmediato acompañadas de la mayonesa de lima.

6

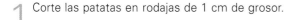

arroz al curry con tomate

- para 4 personas
- tiempo de preparación: 15 minutos
- tiempo de cocción: 15 - 20 minutos

6 tomates

1 cucharada de aceite

1 cebolla grande bien picada

1 cucharada de pasta de curry

1 cucharadita de cilantro molido

1 cucharadita de comino molido

sal y pimienta

175 g de arroz basmati

600 ml de caldo de pollo o
verduras

2 cucharadas de cilantro fresco
picado

8 tortitas indias, para acompañar

1 Corte 4 tomates por la mitad, quíteles los corazones y resérvelos. Corte los tomates restantes en trozos grandes y resérvelos también.

2 Caliente el aceite en una cacerola grande. Añada la cebolla y sofríala hasta que esté tierna. Agregue las mitades de tomate reservadas, la pasta de curry, el cilantro y el comino, salpimiente al gusto, y sofríalo todo entre 2 y 3 minutos.

3 Añada el arroz y fríalo 2 o 3 minutos. Agregue el caldo y cuézalo a fuego lento de 10 a 12 minutos o hasta que el arroz esté tierno y los tomates se hayan deshecho en la mezcla. Retire la piel de los tomates, en la medida de lo posible.

4 Mezcle en un bol el tomate troceado que había reservado con el cilantro e incorpore la mezcla al arroz. Sírvalo de inmediato con las tortas indias.

2   3

patatas con champiñones

$$

- para 4 personas
- tiempo de preparación: 10 minutos
- tiempo de cocción: 35 minutos

675 g de patatas
  cortadas en dados
1 cucharada de aceite de oliva
2 dientes de ajo majados
1 pimiento verde sin semillas
  y cortado en dados
1 pimiento amarillo sin semillas
  y cortado en dados

3 tomates cortados en dados
75 g de champiñones cortados
  por la mitad
1 cucharada de salsa Worcester
  vegetariana
2 cucharadas de albahaca fresca
  picada
sal y pimienta

ramitas de albahaca
  fresca, para decorar
pan del día caliente,
  para acompañar

2

1 Cueza las patatas en una cacerola con agua hirviendo con sal durante 7 u 8 minutos. Escúrralas bien y resérvelas.

2 Caliente el aceite de oliva en una sartén grande de fondo pesado y fría las patatas entre 8 y 10 minutos, removiendo al mismo tiempo, hasta que se doren bien.

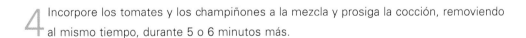

3 Agregue a la sartén el ajo y los pimientos, y sofríalos durante 2 o 3 minutos.

4

4 Incorpore los tomates y los champiñones a la mezcla y prosiga la cocción, removiendo al mismo tiempo, durante 5 o 6 minutos más.

5 Añada la salsa Worcester y la albahaca, y salpimiente bien.

5

6 Pase el salteado a un plato caliente, decórelo con albahaca fresca y sírvalo de inmediato acompañado de pan del día.

ensalada toscana de judías y atún

- para 4 personas
- tiempo de preparación: 30 minutos
- tiempo de cocción: 0 minutos

1 cebolla blanca pequeña o
  2 cebolletas bien picadas

800 g de judías blancas en
  conserva escurridas

2 tomates medianos

185 g de atún en conserva
  escurrido

2 cucharadas de perejil picado

2 cucharadas de aceite de oliva

1 cucharada de zumo de limón

2 cucharaditas de miel clara

1 diente de ajo majado

1 Introduzca en un bol la cebolla o las cebolletas y las judías, y mézclelas bien.

2 Corte los tomates en cuñas con un cuchillo afilado.

3 Añada los tomates a la mezcla de cebolla y judías.

4 Desmenuce el atún con un tenedor y agréguelo, junto con el perejil.

5 Mezcle en un tarro con tapón de rosca el aceite de oliva, el zumo de limón, la miel y el ajo. Agite el tarro hasta que el aliño se espese y emulsione.

6 Aliñe la ensalada con la salsa. Revuelva los ingredientes con la ayuda de dos cucharas y sirva.

1   2   5

revuelto de arroz

- para 4 personas
- tiempo de preparación: 20 minutos
- tiempo de cocción: 10 minutos

150 g de arroz de grano
 largo
3 huevos batidos
2 cucharadas de aceite
 vegetal
2 dientes de ajo majados
4 cebolletas picadas

125 g de guisantes cocidos
1 cucharada de salsa de soja
 clara
una pizca de sal
cebolleta rallada, para
 decorar

1 Cueza el arroz en una cacerola con agua hirviendo de 10 a 12 minutos, hasta que esté prácticamente cocido, pero sin que llegue a ablandarse. Escúrralo bien, aclárelo debajo del grifo y escúrralo de nuevo.

2 Vierta los huevos batidos en una sartén y cuézalos a fuego lento, removiendo al mismo tiempo, hasta que adquieran una consistencia de huevos revueltos, pero sin que cuajen del todo.

3 Caliente el aceite vegetal en un wok o una sartén grandes precalentados y muévalo para bañar el fondo del recipiente hasta que esté bien caliente.

4 Añada el ajo majado, las cebolletas y los guisantes, y saltéelos, removiendo de vez en cuando, durante 1 o 2 minutos. Agregue el arroz y mezcle bien.

5 Añada los huevos, la salsa de soja clara y una pizca de sal, y remueva para que el huevo quede bien mezclado.

6 Sirva el revuelto decorado con cebolleta rallada.

fideos chinos fritos (chow mein)

$

- para 4 personas
- tiempo de preparación: 5 minutos
- tiempo de cocción: 20 minutos

275 g de fideos chinos
  al huevo
sal
3–4 cucharadas de aceite
  vegetal
1 cebolla pequeña rallada fina
125 g de brotes de soja
  frescos

1 cebolleta rallada fina
2 cucharadas de salsa de soja
  clara
unas gotas de aceite de
  sésamo

1 Cueza los fideos en un wok o una cacerola en agua hirviendo con sal durante 4 o 5 minutos o el tiempo que se indique en el envase.

2 Escurra bien los fideos, lávelos con agua fría y vuélvalos a escurrir completamente. Páselos a un bol grande y aderécelos con un poco de aceite vegetal.

3 Caliente el aceite vegetal restante a temperatura muy alta en un wok o una sartén grande precalentados.

4 Ponga la cebolla rallada en el wok y sofríala de 30 a 40 segundos.

5 Añada los brotes de soja y los fideos escurridos, y remueva durante 1 minuto más.

6 Incorpore la cebolleta rallada y la salsa de soja clara y mézclelas bien.

7 Pase los fideos a un plato caliente, rocíelos con aceite de sésamo y sírvalos de inmediato.

1

2

5

buñuelos de pollo a las hierbas

- para 8 unidades
- tiempo de preparación: 10 minutos
- tiempo de cocción: 20 minutos

500 g de puré de patatas con mantequilla

250 g de pollo cocido y picado

125 g de jamón cocido bien picado

1 cucharada de hierbas aromáticas secas variadas

2 huevos ligeramente batidos

sal y pimienta

leche

125 g de pan integral del día rallado

aceite de girasol, para freír

ramitas de perejil fresco, para decorar

ensalada variada, para acompañar

1 Mezcle el puré de patata, el pollo, el jamón cocido, las hierbas y 1 huevo batido en un bol grande. Salpimiente generosamente la mezcla.

2 Forme tortitas o albóndigas pequeñas con la mezcla. Añada un poco de leche al otro huevo batido.

3 Coloque el pan rallado en un plato. Sumerja las tortas en la mezcla de huevo y leche, y rebócelas con el pan rallado hasta cubrirlas por completo.

4 Caliente el aceite en una sartén grande y fría los buñuelos hasta que queden bien dorados. Decórelos con una ramita de perejil y sírvalos acompañados de una ensalada variada.

1

2

3

platos principales

En este capítulo encontrará gran variedad de platos únicos que le permitirán ahorrar tanto tiempo como energía, porque toda la comida se cocina a la vez. En otras recetas sólo es necesario añadir arroz, pasta o patatas como acompañamiento, ingredientes que se pueden cocer simultáneamente. Sea cual sea su elección, en estas páginas descubrirá recetas para todos los gustos: desde platos picantes y condimentados hasta otros tan suaves que se deshacen en la boca.

pollo al horno con patatas

$$

- para 4 personas
- tiempo de preparación: 10 minutos
- tiempo de cocción: 35 minutos

4 patatas pequeñas
1 cucharada de aceite de girasol
2 cucharaditas de sal marina
  gruesa
2 cucharadas de harina
una pizca de pimienta de Cayena
½ cucharadita de pimentón
  picante

½ cucharadita de tomillo seco
8 muslitos de pollo sin piel
1 huevo batido
2 cucharadas de agua fría
6 cucharadas de pan rallado
sal y pimienta
ensalada de col y zanahoria con
  mayonesa, para acompañar

1 Precaliente el horno a 200°C. Lave y cepille las patatas, y corte cada una en 8 trozos iguales. Introdúzcalas en una bolsa de plástico limpia y añada el aceite. Cierre herméticamente la bolsa y agítela para que las patatas queden bien impregnadas de aceite.

2 Disponga las cuñas de patata en una bandeja de horno antiadherente, con la piel hacia abajo. Espolvoréelas con la sal marina y hornéelas de 30 a 35 minutos, hasta que estén tiernas y doradas.

2

3 Mientras tanto, mezcle la harina, las especias, el tomillo, la sal y la pimienta en un plato. Reboce ligeramente los muslitos de pollo con la mezcla.

4 Mezcle en un plato el huevo y el agua. Vierta en otro plato el pan rallado. Sumerja los muslitos de pollo primero en el huevo y después cúbralos de pan rallado. Vaya colocándolos en una bandeja de horno antiadherente.

3

5 Hornee los muslitos en el horno junto con las patatas durante 30 minutos. Deles la vuelta a los 15 minutos y saque la bandeja cuando las patatas y el pollo estén bien hechos y aún tiernos.

6 Escurra los trozos de patata en papel de cocina para retirar la grasa sobrante. Sírvalas con el pollo y una ensalada de col y zanahoria con mayonesa.

4

muslos de pollo a la barbacoa

$$

- para 4 personas
- tiempo de preparación: 5 minutos
- tiempo de cocción: 20 minutos

12 muslos de pollo
MANTEQUILLA
ESPECIADA
175 g de mantequilla
2 dientes de ajo majados
1 cucharadita de jengibre
rallado

2 cucharaditas de cúrcuma
molida
4 cucharaditas de pimienta
de Cayena
2 cucharadas de zumo
de lima
3 cucharadas de chutney
de mango

ensalada verde crujiente
y arroz hervido, para
acompañar

1 Para preparar la mantequilla especiada, bátala con el ajo, el jengibre, la cúrcuma, la pimienta de Cayena, el zumo de lima y el chutney hasta obtener una mezcla homogénea.

2 Utilizando un cuchillo afilado, haga 3 o 4 incisiones hasta el hueso en cada muslo de pollo.

1

3 Ase los muslos a la barbacoa a temperatura moderada de 12 a 15 minutos o hasta que estén prácticamente hechas. También puede asar el pollo a la parrilla de 10 a 12 minutos, hasta que esté casi hecho, y darle la vuelta a media cocción.

4 Unte generosamente los muslos de pollo con la mantequilla especiada y áselos durante 5 o 6 minutos más. Deles la vuelta y vaya bañándolos con mantequilla a menudo, hasta que queden dorados y crujientes. Sírvalos calientes o fríos, acompañados de ensalada verde y arroz.

2

3

pollo al jengibre con maíz

$$

- para 6 personas
- tiempo de preparación: 10 minutos
- tiempo de cocción: 20 minutos

3 mazorcas de maíz	**6 cucharadas de zumo de**	**1 cucharada de azúcar**
12 alitas de pollo	**limón**	**moreno extrafino**
1 trozo de jengibre fresco	**4 cucharaditas de aceite**	**patatas asadas o ensalada,**
de 2,5 cm	**de girasol**	**para acompañar**

1 Deseche las farfollas y los filamentos del maíz. Corte cada mazorca en 6 rodajas con un cuchillo afilado.

2 Introduzca el maíz en un bol grande, junto con las alitas de pollo.

3 Pele y ralle el jengibre o píquelo bien. Páselo a un bol y agregue el zumo de limón, el aceite de girasol y el azúcar moreno extrafino. Mézclelos bien.

4 Reboce el maíz y el pollo con la mezcla de jengibre, formando una capa uniforme.

5 Ensarte los trozos de maíz y las alitas, intercalados, en una brocheta metálica o de madera previamente remojada. Así les podrá dar la vuelta con más facilidad.

6 Ase las brochetas bajo el grill del horno precalentado a temperatura moderada o en una barbacoa, entre 15 y 20 minutos. Rocíelas con la mezcla de jengibre y deles la vuelta con frecuencia. Cuando el maíz ya esté dorado y el pollo bien hecho, sírvalos de inmediato con patatas asadas o ensalada.

1

3

5

pollo con coco y guindilla

- para 4 personas
- tiempo de preparación: 10 minutos
- tiempo de cocción: 15 minutos

150 ml de caldo de pollo caliente
25 g de crema de coco
1 cucharada de aceite de girasol
8 muslos de pollo, sin piel ni
  huesos, cortados en tiras
  largas y finas
1 guindilla fresca pequeña en
  láminas finas
4 cebolletas en rodajas finas
4 cucharadas de mantequilla de
  cacahuete cremosa o crujiente
ralladura fina y zumo de 1 lima
arroz recién cocido, para
  acompañar
tallos de cebolleta y guindillas
  frescas, para decorar

1 Vierta el caldo en una jarra graduada, añada la crema de coco y remueva hasta que se disuelva.

2 Caliente el aceite en una sartén grande de fondo pesado o un wok precalentado. Fría las tiras de pollo hasta que se doren, removiendo al mismo tiempo.

3 Agregue la guindilla y las cebolletas troceadas a la sartén y fríalas a fuego lento durante unos minutos, removiendo al mismo tiempo para mezclar todos los ingredientes.

4 Añada la mantequilla de cacahuete, la mezcla de coco, la ralladura y el zumo de lima, y déjelos cocer a fuego lento, sin dejar de remover, durante 5 minutos. Sirva el plato acompañado de arroz y decorado con un tallo de cebolleta y una guindilla.

1   3   4

pollo a la mexicana

$$

- para 4 personas
- tiempo de preparación: 5 minutos
- tiempo de cocción: 35 minutos

2 cucharadas de aceite
8 muslos de pollo
1 cebolla mediana bien picada
1 cucharadita de guindilla en polvo
1 cucharadita de cilantro molido
425 g de tomates troceados en conserva

2 cucharadas de concentrado de tomate
125 g de maíz congelado
sal y pimienta
arroz y ensalada de pimientos variados, para acompañar

1 Caliente el aceite en una sartén grande y fría los muslos de pollo a fuego medio hasta que se doren ligeramente. Retírelos de la sartén y resérvelos.

2 Agregue la cebolla picada a la sartén y fríala entre 3 y 4 minutos, hasta que esté tierna. A continuación incorpore la guindilla en polvo y el cilantro, y sofríalos durante unos segundos, removiendo enérgicamente para que las especias no se peguen al fondo del recipiente. Añada los tomates troceados con su jugo y el concentrado de tomate, y remueva bien para que se mezclen.

3 Pase de nuevo los muslos de pollo a la sartén y deje cocer el guiso a fuego lento durante 20 minutos, hasta que el pollo esté tierno y bien hecho. Añada el maíz y cuézalo 3 o 4 minutos más. Salpimiente al gusto.

4 Sirva el pollo acompañado de arroz y ensalada de pimientos variados.

pollo arlequín

$$

- para 4 personas
- tiempo de preparación: 5 minutos
- tiempo de cocción: 25 minutos

**10 muslos de pollo sin piel
ni huesos**

1 cebolla mediana

**3 pimientos medianos: 1 rojo,
1 verde y 1 amarillo**

1 cucharada de aceite de girasol

**400 g de tomates troceados
en conserva**

**2 cucharadas de perejil fresco
picado**

pimienta

**pan integral y ensalada,
para acompañar**

1 Corte los muslos de pollo en dados con un cuchillo afilado.

2 Pele la cebolla y córtela en rodajas finas. Corte por la mitad los pimientos, retire las semillas y córtelos en trocitos pequeños en forma de rombo.

3 Caliente el aceite en una sartén poco honda. Añada el pollo y la cebolla, y saltéelos rápidamente hasta que estén dorados.

4 Agregue los pimientos, fríalos entre 2 y 3 minutos, incorpore los tomates y el perejil, y condimente con pimienta.

5 Tape bien la sartén y cueza el guiso a fuego lento durante 15 minutos, hasta que el pollo y las hortalizas estén tiernos. Sirva el plato caliente, acompañado de pan integral y una ensalada.

1
2
4

Estofado de ternera con guindilla

$$

- para 4 personas
- tiempo de preparación: 15 minutos
- tiempo de cocción: 45 minutos

3 cucharadas de aceite vegetal

450 g de ternera picada

1 cebolla bien picada

1 pimiento verde sin semillas
  y troceado

2 dientes de ajo muy bien
  picados

800 g de tomates troceados
  en conserva

400 g de judías rojas en conserva
  escurridas y lavadas

1 cucharadita de comino molido

1 cucharadita de sal

1 cucharadita de azúcar

1–3 cucharaditas de guindilla
  en polvo

2 cucharadas de cilantro fresco
  picado

1 Prepare los ingredientes. Caliente el aceite en una cazuela refractaria grande a fuego
medio-vivo. Añada la carne y fríala, removiendo al mismo tiempo, hasta que se dore un poco.

2 Reduzca la temperatura a fuego medio. Agregue la cebolla, el pimiento y el ajo. Sofríalos
durante 5 minutos o hasta que estén tiernos.

3 Incorpore los ingredientes restantes excepto el cilantro. Lleve la mezcla a ebullición y cuézala
a fuego medio-lento durante 30 minutos. Remueva con frecuencia durante la cocción.

4 Incorpore el cilantro justo antes de servir.

1

1

1

cazuela de ternera con champiñones y arroz

$$

- para 4 personas
- tiempo de preparación: 15 minutos
- tiempo de cocción: 35 minutos

3 cucharadas de aceite de oliva
400 g de ternera picada
1 cebolla bien picada
**1 pimiento sin semillas y
  bien picado**
**150 g de champiñones en
  láminas**
**2 cucharadas de tomate
  triturado**
250 g de arroz de grano largo
**600 ml de caldo de carne
  caliente**
sal y pimienta
**75 g de queso cheddar recién
  rallado**

1 Prepare los ingredientes. Caliente el aceite en una cazuela de paredes altas con tapadera a fuego medio-vivo. Fría la carne hasta que esté ligeramente dorada, removiendo al mismo tiempo.

2 Reduzca el fuego a temperatura media. Agregue la cebolla, el pimiento, los champiñones y el tomate triturado. Sofríalos durante 5 minutos o hasta que estén tiernos.

3 Incorpore el arroz y cuézalo a fuego lento entre 3 y 4 minutos, removiendo al mismo tiempo.

4 Vierta el caldo caliente. Salpiméntelo y llévelo a ebullición. Tápelo bien y cuézalo todo a fuego lento unos 20 minutos o hasta que el arroz esté tierno y haya absorbido la mayor parte del líquido.

5 Esparza el queso por encima. Tape y deje reposar hasta que el queso se funda. Sírvalo de inmediato en la misma cazuela.

1

1

1

lentejas con salchichas picantes

- para 4 personas
- tiempo de preparación: 10 minutos
- tiempo de cocción: 25 minutos

1 cucharada de aceite de
girasol
225 g de salchichas picantes
en rodajas
115 g de beicon ahumado
sin corteza y troceado
1 cebolla troceada
6 cucharadas de tomate
triturado

425 ml de caldo de carne
600 g de lentejas en
conserva escurridas
y lavadas
½ cucharadita de pimentón
2 cucharaditas de vinagre
de vino tinto
sal y pimienta

ramitas de tomillo fresco,
para decorar

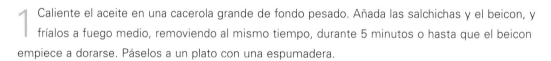

1 Caliente el aceite en una cacerola grande de fondo pesado. Añada las salchichas y el beicon, y fríalos a fuego medio, removiendo al mismo tiempo, durante 5 minutos o hasta que el beicon empiece a dorarse. Páselos a un plato con una espumadera.

2 Agregue la cebolla picada a la cacerola y rehóguela, removiendo de vez en cuando, durante 5 minutos o hasta que esté tierna. Incorpore el tomate y a continuación añada el caldo y las lentejas. Reduzca el fuego, tape la cacerola y cuézalo todo durante 10 minutos.

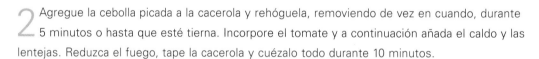

1

3 Introduzca de nuevo los trozos de salchicha y el beicon en la cacerola, incorpore el pimentón y el vinagre de vino tinto, y salpiméntelos al gusto. Caliente bien el guiso a fuego lento durante unos minutos y sírvalo de inmediato, decorado con ramitas de tomillo fresco.

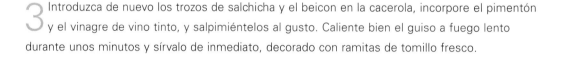

2

3

pastelitos de salchicha con salsa de cebolla

$$

- para 4 personas
- tiempo de preparación: 5 minutos
- tiempo de cocción: 20 minutos

8 salchichas cocidas de cerdo

25 g de mantequilla o
   2 cucharadas de aceite
   vegetal

3 huevos

sal y pimienta

300 ml de leche

115 g de harina

SALSA DE CEBOLLA

2 cucharadas de aceite de
   girasol

1 cebolla troceada

1 cucharada de harina

200 ml de caldo de pollo

1 cucharadita de vinagre
   de vino tinto

sal y pimienta

1 Precaliente el horno a 230°C. Separe las salchichas unas de otras con unas tijeras de cocina, dispóngalas en una bandeja de horno y áselas ligeramente durante 10 minutos, mientras prepara la masa. Engrase con mantequilla o aceite vegetal el interior de 4 moldes para magdalenas y métalos en el horno para que se vayan calentando.

2 Con una batidora de varillas, trabaje ligeramente los huevos salpimentados en un bol pequeño, y a continuación añada la mitad de la leche. Tamice la harina en un bol grande, agregue la mezcla de huevo y remueva hasta que se forme una masa homogénea. Incorpore la leche restante. Saque del horno las salchichas y los moldes, y coloque 2 salchichas dentro de cada molde. Vierta la masa y deje los moldes en el horno 10 minutos más o hasta que la masa suba y se dore.

3 Mientras tanto, prepare la salsa de cebolla. Caliente el aceite en una cacerola grande, añada la cebolla y rehóguela, removiendo de vez en cuando, durante 5 minutos o hasta que esté tierna. Espolvoree la harina y fría 1 minuto más, sin dejar de remover. Aparte la cacerola del fuego y añada poco a poco el caldo de pollo.

4 Ponga la cacerola de nuevo en el fuego y lleve el caldo a ebullición, removiendo constantemente. Incorpore el vinagre y salpimiente al gusto. Saque los pastelitos de salchicha del horno y sírvalos con la salsa por separado.

1

2

3

filetes de cerdo a la napolitana

■ para 4 personas

■ tiempo de preparación: 10 minutos

■ tiempo de cocción: 25 minutos

2 cucharadas de aceite de oliva

1 cebolla grande en rodajas

1 diente de ajo picado

400 g de tomates en conserva

2 cucharaditas de extracto de levadura

4 filetes de lomo de cerdo de unos 125 g cada uno

75 g de aceitunas negras sin hueso

2 cucharadas de albahaca fresca picada

queso parmesano recién rallado, para decorar

verduras, para acompañar

1 Precaliente el grill del horno a temperatura media. Caliente el aceite en una sartén grande. Añada la cebolla y el ajo, y sofríalos, removiendo al mismo tiempo, entre 3 y 4 minutos o hasta que empiecen a estar tiernos.

2 Agregue a la sartén los tomates y el extracto de levadura, y cueza la salsa a fuego lento durante 5 minutos o hasta que empiece a espesarse.

3 Ase los filetes de lomo debajo del grill precalentado durante unos 5 minutos por cada lado, hasta que la carne esté bien hecha. Resérvelos y manténgalos calientes.

4 Agregue las aceitunas y la albahaca picada a la sartén de la salsa y remueva rápidamente para que se mezclen bien.

5 Sirva los filetes en platos calientes. Cúbralos de guarnición, decórelos con queso parmesano recién rallado y sírvalos inmediatamente acompañados de verduras.

1   2   4

NOTA: Merece la pena comprar un trozo grande de parmesano fresco ya que se conserva durante mucho tiempo en el frigorífico.

chuletas de cerdo con salvia

- para 4 personas
- tiempo de preparación: 10 minutos
- tiempo de cocción: 15 minutos

2 cucharadas de harina

1 cucharada de salvia fresca
   picada o 1 cucharadita de
   salvia seca

4 chuletas de cerdo sin hueso
   ni grasa

2 cucharadas de aceite de oliva

15 g de mantequilla

2 cebollas rojas cortadas
   en aros

1 cucharada de zumo de limón

2 cucharaditas de azúcar
   extrafino

4 tomates de pera cortados
   en cuartos

sal y pimienta

1 Mezcle la harina, la salvia y sal y pimienta al gusto en un plato. Espolvoree ligeramente las
chuletas de cerdo por ambos lados con la harina condimentada.

1

2 Caliente el aceite y la mantequilla en una sartén. Añada las chuletas y fríalas durante 6 o
7 minutos por cada lado, hasta que estén bien hechas. Escúrralas y reserve los jugos.
Manténgalas calientes.

2

3 Sumerja la cebolla en el zumo de limón y fríala junto con el azúcar y los tomates durante
5 minutos, hasta que esté tierna.

4 Sirva las chuletas con la guarnición de tomate y cebolla, y una ensalada verde.

3

albóndigas picantes

- para 4 personas
- tiempo de preparación: 10 minutos
- tiempo de cocción: 40 minutos

450 g de carne de cerdo
picada
2 chalotes bien picados
2 dientes de ajo majados
1 cucharadita de semillas
de comino
½ cucharadita de guindilla
en polvo
25 g de pan integral rallado

1 huevo batido
2 cucharadas de aceite de
girasol
400 g de tomates troceados
en conserva aromatizados
con guindilla
2 cucharadas de salsa de soja
200 g de castañas de agua
en conserva escurridas

3 cucharadas de cilantro
fresco picado

1 En un bol grande, mezcle la carne picada, los chalotes, el ajo, las semillas de comino, la guindilla en polvo, el pan rallado y el huevo batido.

2 Forme albóndigas con las manos.

1

3 Caliente el aceite en un wok grande precalentado. Agregue las albóndigas y saltéelas a fuego vivo y por tandas durante unos 5 minutos o hasta que queden bien fritas por toda su superficie.

4 Añada los tomates, la salsa de soja y las castañas de agua, y llévelos a ebullición. Pase de nuevo las albóndigas al wok, reduzca el fuego y cuézalas a fuego lento durante 15 minutos.

5 Esparza por encima el cilantro fresco picado y sirva las albóndigas aún calientes.

2

3

cordero a la menta

- para 4 personas
- tiempo de preparación: 10 minutos
- tiempo de cocción: 30 minutos

2 cucharadas de aceite de girasol

1 cebolla troceada

1 diente de ajo bien picado

1 cucharadita de jengibre rallado

1 cucharadita de cilantro molido

½ cucharadita de guindilla en polvo

¼ cucharadita de cúrcuma molida

una pizca de sal

350 g de carne de cordero recién picada

200 g de tomates troceados en conserva

1 cucharada de menta fresca picada

2 zanahorias en bastoncitos

85 g de guisantes frescos o congelados

1 guindilla verde fresca sin semillas y bien picada

1 cucharada de cilantro fresco picado

ramitas de menta fresca, para decorar

1 Caliente el aceite en una sartén grande de fondo pesado o una cazuela refractaria. Añada la cebolla y sofríala a fuego lento, removiendo de vez en cuando, durante 10 minutos o hasta que se dore.

1

2 Mientras tanto, mezcle en un bol pequeño el ajo, el jengibre, el cilantro molido, la guindilla en polvo, la cúrcuma y la sal, y mézclelos bien. Agregue la mezcla de especias a la sartén y fríala, removiendo constantemente, durante 2 minutos. Añada la carne de cordero y fríala, removiendo con frecuencia, de 8 a 10 minutos o hasta que se deshagan los grumos y se dore.

2

3 Agregue los tomates con su jugo, la menta, los guisantes, las zanahorias, la guindilla y el cilantro fresco. Sofríalos, removiendo constantemente, entre 3 y 5 minutos, y sirva el plato decorado con ramitas de menta fresca.

3

espaguetis con atún y perejil

$$

- para 4 personas
- tiempo de preparación: 10 minutos
- tiempo de cocción: 15 minutos

500 g de espaguetis
1 cucharada de aceite de oliva
25 g de mantequilla
aceitunas negras, para servir
SALSA
200 g de atún en conserva
escurrido
60 g de anchoas en conserva
escurridas
250 ml de aceite de oliva
250 ml de perejil fresco troceado
150 ml de nata líquida
sal y pimienta

1 Cueza los espaguetis en una cacerola grande con agua con sal y aceite de oliva, de 8 a 10 minutos o hasta que estén tiernos. Escúrralos y páselos de nuevo a la cacerola. Añada la mantequilla, remueva bien para que los espaguetis se impregnen de ella y manténgalos calientes.

2 Desmenuce el atún con 2 tenedores. Introdúzcalo en un robot de cocina junto con las anchoas, el aceite de oliva y el perejil, y tritúrelos hasta obtener una salsa homogénea. Vierta la nata líquida y bátala unos segundos. Pruebe la salsa y salpimiéntela al gusto.

3 Caliente 4 platos y, por otra parte, caliente también la cacerola con los espaguetis a fuego medio durante unos minutos, agitándola al mismo tiempo.

4 Vierta la salsa por encima de los espaguetis y mézclelos rápidamente con 2 tenedores. Sírvalos de inmediato. Si lo desea, acompáñelos con un platito de aceitunas negras.

2

3

4

atún al gratén

$

- para 4 personas
- tiempo de preparación: 5 minutos
- tiempo de cocción: 25 minutos

25 g de mantequilla y un poco
  más para untar el molde
25 g de harina
300 ml de leche
55 g de queso cheddar rallado
200 g de atún en aceite en
  conserva

325 g de maíz en conserva
  escurrido
sal y pimienta
2 tomates en rodajas finas
70 g de patatas fritas
  envasadas

1 Precaliente el horno a 180°C. Funda la mantequilla en una cacerola grande de fondo pesado. Agregue la harina y fríala, removiendo constantemente, durante 1 minuto. Aparte la cacerola del fuego e incorpore poco a poco la leche, batiendo al mismo tiempo. Ponga de nuevo la cacerola en el fuego, lleve la leche a ebullición y deje que cueza, removiendo constantemente, durante 2 minutos.

2 Aparte la cacerola del fuego e incorpore el queso rallado. Desmenuce el atún y añádalo a la mezcla, junto con el aceite de la lata. Incorpore el maíz y salpimiente al gusto.

3 Engrase ligeramente un molde refractario grande. Forre el molde con las rodajas de tomate y vierta por encima la mezcla de atún. Desmenuce las patatas fritas y espárzalas por la superficie. Ponga el plato en el horno precalentado durante 20 minutos y sírvalo.

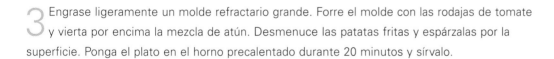

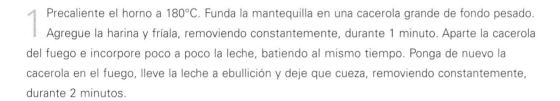

$$

arroz con atún

- para 4 personas
- tiempo de preparación: 10 minutos
- tiempo de cocción: 10 minutos

3 cucharadas de aceite de
   cacahuete o girasol

4 cebolletas picadas

2 dientes de ajo bien picados

200 g de atún en aceite en
   conserva escurrido y
   desmenuzado

175 g de maíz con pimientos
   congelados o en conserva

750 g de arroz cocido frío

2 cucharadas de salsa de
   pescado tailandesa

1 cucharada de salsa de soja
   clara

sal y pimienta

2 cucharadas de cilantro
   fresco picado, para
   decorar

1 Caliente el aceite de cacahuete en un wok o en una sartén grande de fondo pesado precalentados. Sofría las cebolletas durante 2 minutos, añada el ajo y saltéelo durante 1 minuto más.

2 Agregue el atún y el maíz con pimientos, y saltéelos durante 2 minutos.

3 Añada el arroz, la salsa de pescado y de soja, y saltéelo durante 2 minutos. Salpimiéntelo al gusto y sirva el plato de inmediato, decorado con cilantro picado.

macarrones gratinados

$

- para 4 personas
- tiempo de preparación: 15 minutos
- tiempo de cocción: 20 minutos

sal

200 g de macarrones secos

1 cebolla en rodajas

4 huevos duros cortados en cuartos

4 tomates cherry cortados por la mitad

3 cucharadas de pan rallado

2 cucharadas de queso Red Leicester rallado fino

SALSA DE QUESO

40 g de mantequilla

5 cucharadas de harina

600 ml de leche

140 g de queso Red Leicester rallado

una pizca de pimienta de Cayena

1 Precaliente el grill a temperatura media. Lleve a ebullición una cacerola grande de agua con un poco de sal. Añada los macarrones y la cebolla en rodajas, y cueza la pasta de 8 a 10 minutos desde que rompa a hervir o hasta que esté *al dente*. Escúrrala bien y pase los macarrones y la cebolla a una fuente refractaria.

2 Para preparar la salsa de queso, funda la mantequilla en una cacerola. Agregue la harina y fría-la, removiendo constantemente, durante 1 o 2 minutos. Aparte la cacerola del fuego e incorpo-re poco a poco la leche, batiendo al mismo tiempo. Ponga de nuevo la cacerola en el fuego y lleve la leche a ebullición, sin dejar de batir. Cuézala a fuego lento durante 2 minutos o hasta que la salsa se espese y adquiera una textura brillante. Aparte la cacerola del fuego, incorpore el queso y sazo-ne la salsa con pimienta de Cayena y sal al gusto.

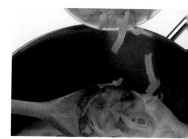

3 Vierta la salsa por encima de los macarrones, añada los huevos y remueva un poco. Disponga encima de la pasta las mitades de tomate. Mezcle el pan con el queso rallado y espolvoree la superficie. Hornee la pasta debajo del grill del horno precalentado durante 3 o 4 minutos o hasta que la superficie hierva y esté dorada. Sirva el plato inmediatamente.

3

macarrones con calabaza*

$$

- para 4 personas
- tiempo de preparación: 15 minutos
- tiempo de cocción: 30 minutos

2 cucharadas de aceite de oliva

1 diente de ajo majado

55 g de pan del día rallado

500 g de calabaza pelada y
sin semillas

8 cucharadas de agua

500 g de macarrones u otra
variedad de pasta fresca

1 cucharada de mantequilla

1 cebolla en rodajas

115 g de jamón cocido cortado
en tiras

200 ml de nata líquida

55 g de queso cheddar rallado

2 cucharadas de perejil fresco
picado

sal y pimienta

1 Mezcle el aceite, el ajo y el pan en un recipiente grande. Fría el pan en el microondas a potencia máxima 4 o 5 minutos, removiendo cada minuto, hasta que empiece a dorarse. Resérvelo.

2 Corte la calabaza en dados y páselos a un bol grande con la mitad del agua. Tape y cuézala a potencia máxima 8 o 9 minutos, removiendo de vez en cuando; déjela reposar 2 minutos.

3 Introduzca la pasta en un bol con un poco de sal y agua hirviendo (deben quedar 2,5 cm de agua por encima de la pasta). Tape y cuézala a potencia máxima 5 minutos, hasta que esté *al dente*.

Remueva una vez durante la cocción. Deje reposar la pasta tapada 1 minuto antes de escurrirla.

4 Fría la cebolla con la mantequilla en un bol grande y tapado a potencia máxima durante 3 minutos.

5 Triture la calabaza con un tenedor y añádala a la cebolla junto con la pasta, el jamón, la nata, el queso, el perejil y el resto del agua. Salpimiente generosamente y remueva. Tape el bol y caliente la pasta con la salsa a potencia máxima 4 minutos.

6 Para servir, esparza el pan con ajo por encima de la pasta.

2   3   5

* Para preparar esta receta se necesita un horno microondas

espaguetis con ajo

$

- para 4 personas
- tiempo de preparación: 5 minutos
- tiempo de cocción: 5 minutos

125 ml de aceite de oliva
3 dientes de ajo majados
sal y pimienta
450 g de espaguetis frescos
3 cucharadas de perejil fresco troceado

1

3

1 Reserve 1 cucharadita del aceite y caliente el resto en una cacerola de tamaño mediano a fuego lento. Fría el ajo con una pizca de sal, removiendo constantemente, hasta que se dore. Aparte la cacerola del fuego. Tenga cuidado de que no se queme el ajo para que no afecte el sabor del aceite. (Si se quema tendrá que empezar de nuevo.)

2 Mientras tanto, lleve a ebullición una cacerola grande de agua con un poco de sal. Vierta la pasta y el aceite restante y cuézala 2 o 3 minutos desde que rompa a hervir o hasta que esté *al dente*. Escúrrala bien y pásela de nuevo a la cacerola.

3 Agregue a la pasta la mezcla de aceite de oliva y ajo, y remueva para que este se impregne bien. Añada pimienta al gusto y el perejil picado, y remueva bien.

3

4 Reparta la pasta en 4 platos calientes y sírvala de inmediato.

Arroz con judías al estilo sureño

$$

- para 4 personas
- tiempo de preparación: 10 minutos
- tiempo de cocción: 15 minutos

175 g de arroz de grano largo

4 cucharadas de aceite de oliva

1 pimiento rojo pequeño sin semillas y picado

1 pimiento verde pequeño sin semillas y picado

1 cebolla bien picada

1 guindilla roja o verde sin semillas y bien picada

2 tomates troceados

125 g de judías rojas en conserva lavadas y escurridas

1 cucharada de albahaca fresca picada

2 cucharaditas de tomillo fresco picado

1 cucharadita de mezcla de especias cajún

sal y pimienta

hojas de albahaca fresca, para decorar

1 Cueza el arroz en abundante agua hirviendo con un poco de sal durante unos 12 minutos, hasta que esté tierno. Aclárelo con agua fría y escúrralo bien.

2 Mientras tanto, caliente el aceite de oliva en una sartén y fría los pimientos y la cebolla a fuego lento durante 5 minutos, hasta que estén tiernos.

3 Agregue la guindilla y los tomates, y sofríalos 2 minutos más.

4 Añada al arroz el sofrito de hortalizas y las judías. Remueva para que se mezclen bien todos los ingredientes.

5 Incorpore las hierbas aromáticas picadas y la mezcla de especias cajún. Salpimiente al gusto y sirva el plato decorado con hojas de albahaca.

2

4

5

tortilla con verduras

$

- para 4 personas
- tiempo de preparación: 10 minutos
- tiempo de cocción: 35 minutos

1 kg de patatas cerosas
cortadas en rodajas finas
4 cucharadas de aceite vegetal
1 cebolla en rodajas
2 dientes de ajo majados
1 pimiento verde sin semillas
y cortado en dados

2 tomates sin semillas troceados
25 g de maíz en conserva
escurrido
6 huevos grandes batidos
2 cucharadas de perejil fresco
picado
sal y pimienta

2

1 Dé un hervor a las patatas en una cacerola con agua hirviendo y un poco de sal durante 5 minutos y escúrralas bien.

2 Caliente el aceite en una sartén grande, añada las patatas y la cebolla, y saltéelas a fuego lento, removiendo constantemente, durante 5 minutos o hasta que se doren las patatas.

3

3 Agregue el ajo, el pimiento verde, los tomates y el maíz, y mézclelos bien.

4 Vierta los huevos y a continuación añada el perejil. Salpimiente al gusto. Cueza la tortilla entre 10 y 12 minutos, hasta que la parte inferior esté bien cuajada.

5 Aparte la sartén del fuego y prosiga la cocción de la tortilla debajo del grill del horno precalentado a temperatura media de 5 a 7 minutos o hasta que la tortilla cuaje y la superficie se dore.

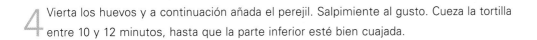
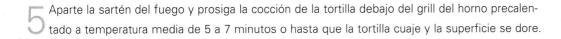
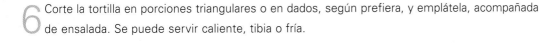

4

6 Corte la tortilla en porciones triangulares o en dados, según prefiera, y emplátela, acompañada de ensalada. Se puede servir caliente, tibia o fría.

champiñones stroganoff

- para 4 personas
- tiempo de preparación: 5 minutos
- tiempo de cocción: 15 minutos

1 cebolla

25 g de mantequilla

450 g de champiñones

1 cucharadita de tomate
triturado

1 cucharadita de mostaza
en grano

150 ml de nata agria

1 cucharadita de pimentón

sal y pimienta

perejil fresco picado,
para decorar

1 Pique bien la cebolla. Caliente la mantequilla en una sartén grande de fondo pesado y sofría la cebolla a fuego lento entre 5 y 10 minutos, hasta que esté tierna. Mientras tanto, limpie los champiñones y córtelos en cuartos.

2 Añada los champiñones a la sartén y saltéelos durante unos minutos, hasta que empiecen a estar tiernos. Incorpore el tomate y la mostaza, y a continuación añada la nata agria. Deje cocer a fuego lento, removiendo constantemente, durante 5 minutos.

2

3 Incorpore el pimentón y salpimiente al gusto. Decore el plato con perejil picado y sírvalo de inmediato.

3

legumbres con hortalizas

$$$

- para 4 personas
- tiempo de preparación: 15 minutos
- tiempo de cocción: 20 - 25 minutos

1 berenjena grande

2 calabacines

6 cucharadas de manteca o aceite vegetal

1 cebolla grande en rodajas

2 dientes de ajo majados

1–2 guindillas verdes frescas, sin semillas y picadas

2 cucharaditas de cilantro molido

2 cucharaditas de semillas de comino

1 cucharadita de cúrcuma molida

1 cucharadita de garam masala

sal y pimienta

400 g de tomates troceados en conserva

300 ml de caldo de verduras o agua

400 g de garbanzos en conserva lavados y escurridos

2 cucharadas de menta picada

150 ml de nata para montar

1 Deseche el rabito de la berenjena y córtela en dados. Limpie los calabacines y córtelos en rodajas.

2 Caliente la manteca o el aceite en una cacerola y sofría la berenjena, los calabacines, la cebolla, el ajo y las guindillas a fuego lento, removiendo con frecuencia, durante unos 5 minutos. Añada un poco más de aceite si es necesario.

3 Incorpore las especias y sofríalas durante 30 segundos. Agregue los tomates y el caldo, salpimiente al gusto y cuézalo todo durante 10 minutos.

4 Añada los garbanzos y cuézalos durante 5 minutos más.

3

5 Incorpore la menta y la nata, y caliéntelo todo a fuego lento. Pruébelos y ajuste el punto de sal y pimienta, si es necesario. Sírvase caliente, en platos tibios y acompañe con arroz blanco o pilaf, o si lo desea, con parathas (pan indio integral con verduras).

5

pasta con tomate y guindilla

- para 4 personas
- tiempo de preparación: 10 minutos
- tiempo de cocción: 15 minutos

275 g de pappardelle frescos

3 cucharadas de aceite de cacahuete

2 dientes de ajo majados

2 chalotes en rodajas

225 g de judías verdes redondas troceadas

100 g de tomates cherry cortados por la mitad

1 cucharadita de copos de guindilla

4 cucharadas de mantequilla de cacahuete crujiente

150 ml de leche de coco

1 cucharada de tomate triturado

cebolletas en rodajas, para decorar

1 Lleve a ebullición agua en una cacerola grande de fondo pesado con un poco de sal. Añada la pasta, llévela a ebullición y cuézala 5 o 6 minutos.

2 Caliente el aceite de cacahuete en un wok o una sartén grande precalentados. Saltee el ajo y los chalotes durante 1 minuto.

3 Escurra bien la pasta. Añádala al wok junto con las judías y saltéelas durante 5 minutos. Agregue los tomates cherry y remueva.

4 Mezcle en un bol los copos de guindilla, la mantequilla de cacahuete, la leche de coco y el tomate triturado.

5 Vierta el sofrito de guindilla por encima de los pappardelle, mézclelo todo y deje que se caliente bien. Sirva de inmediato en platos calientes y decore con cebolletas en rodajas.

3   3   5

pastel de maíz con guindilla a la mexicana

$$

- para 4 personas
- tiempo de preparación: 25 minutos
- tiempo de cocción: 20 minutos

1 cucharada de aceite de maíz

2 dientes de ajo majados

1 pimiento rojo sin semillas cortado en dados

1 pimiento verde sin semillas cortado en dados

1 tallo de apio cortado en dados

1 cucharadita de guindilla en polvo

400 g de tomates troceados en conserva

325 g de maíz en conserva escurrido

215 g de judías rojas en conserva escurridas y lavadas

2 cucharadas de cilantro fresco picado

sal y pimienta

ramitas de cilantro fresco, para decorar

ensalada de tomate y aguacate, para acompañar

COBERTURA

125 g de harina de maíz

1 cucharada de harina

½ cucharadita de sal

2 cucharaditas de levadura en polvo

1 huevo batido

6 cucharadas de leche

1 cucharada de aceite de maíz

125 g de queso cheddar curado rallado

1 Caliente el aceite de maíz en una sartén grande y fría a fuego lento el ajo, los pimientos y el apio 5 o 6 minutos, o hasta que estén tiernos.

2 Incorpore la guindilla en polvo, los tomates, el maíz y las judías y salpiméntelos. Llévelos a ebullición y cuézalos a fuego lento durante 10 minutos. Agregue el cilantro y pase la mezcla a una fuente refractaria.

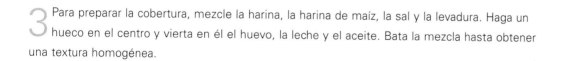

3 Para preparar la cobertura, mezcle la harina, la harina de maíz, la sal y la levadura. Haga un hueco en el centro y vierta en él el huevo, la leche y el aceite. Bata la mezcla hasta obtener una textura homogénea.

4 Disponga la mezcla sobre el sofrito de pimiento y maíz, y esparza por encima el queso rallado. Cueza el pastel en el horno, precalentado a 220°C, entre 25 y 30 minutos, hasta que quede firme y dorado.

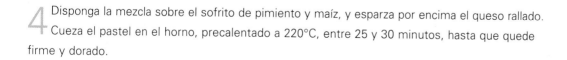

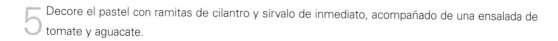

5 Decore el pastel con ramitas de cilantro y sírvalo de inmediato, acompañado de una ensalada de tomate y aguacate.

postres

La falta de tiempo no es excusa para suprimir el postre ni para

servir el típico helado de siempre. En este apartado encontrará

desde unos plátanos con sésamo a una receta de tiramisú rápido;

deliciosas tentaciones dulces con un toque original que le costarán

poco tiempo y dinero. Simplemente irresistibles.

plátanos con sésamo

$$

- para 4 personas
- tiempo de preparación: 10 minutos
- tiempo de cocción: 20 minutos

4 plátanos medianos maduros

3 cucharadas de zumo de limón

115 g de azúcar extrafino

4 cucharadas de agua fría

2 cucharadas de semillas
de sésamo

150 ml de queso fresco bajo
en grasa

1 cucharada de azúcar glas

1 cucharadita de extracto
de vainilla

ralladura de limón y lima,
para decorar

1 Pele los plátanos y córtelos en trozos de 5 cm de largo. Páselos a un bol, vierta por encima el zumo de limón y remueva hasta que estén bien impregnados: así no perderán color.

2 Introduzca el azúcar y el agua en un cazo y caliéntelos a fuego lento, removiendo constantemente, hasta que el azúcar se disuelva. Llévelo a ebullición y cuézalo 5 o 6 minutos, hasta que adquiera un color dorado.

3 Mientras tanto, escurra los plátanos y séquelos con papel de cocina. Forre el interior de una bandeja de horno con papel parafinado y disponga los trozos de plátano bien separados.

4 Cuando esté listo el caramelo, rocíe con él los plátanos. Hágalo con rapidez, porque se solidifica casi al instante. Esparza por encima las semillas de sésamo y deje que se enfríen los plátanos 10 minutos.

5 Mezcle el queso, el azúcar glas y el extracto de vainilla.

6 Emplate los plátanos.

7 Sírvalos con un bol de queso fresco para mojar, decorado con ralladura de lima y limón.

1 3 4

bizcocho de jarabe de maíz*

($)

- para 4 personas
- tiempo de preparación: 11 minutos
- tiempo de cocción: 9 minutos

140 g de mantequilla o
  de margarina
4 cucharadas de jarabe
  de maíz
6 cucharadas de azúcar
  extrafino
2 huevos
125 g de harina de fuerza

1 cucharadita de levadura
  en polvo
unas 2 cucharadas de agua
  tibia
natillas, para servir

1 Unte un molde de 1,5 litros de capacidad apto para microondas con un poco de mantequilla.
Vierta el jarabe de maíz.

2 Bata la mantequilla restante con el azúcar hasta obtener una textura ligera y esponjosa.
Agregue poco a poco los huevos, batiendo bien después de cada adición.

3 Tamice juntas la harina y la levadura, e incorpórelas a la crema con una cuchara metálica grande. Añada agua hasta conseguir una masa suave y fluida. Pásela al molde y alise la superficie.

4 Cubra el molde con un film transparente apto para microondas, dejando un pequeño espacio para que salga el aire. Cueza el bizcocho a potencia máxima durante 4 minutos, sáquelo del horno y déjelo reposar 5 minutos para que prosiga la cocción.

5 Desmolde el bizcocho y sírvalo en un plato caliente, acompañado de natillas.

* Para preparar esta receta se necesita un horno microondas.

pudding de toffee casi instantáneo

$

- para 6 personas
- tiempo de preparación: 10 minutos
- tiempo de cocción: 15 minutos

2 huevos

100 ml de leche

una pizca de canela molida

6 rebanadas de pan de
   molde sin corteza

115 g de mantequilla

1 cucharada de aceite
   de girasol

55 g de azúcar moreno

4 cucharadas de jarabe
   de caña

1 Bata los huevos con un tenedor, junto con 6 cucharadas de leche y la canela, en un recipiente
grande y poco hondo. Corte el pan en triángulos y sumérjalo en la leche. Déjelo 2 o 3 minutos
en remojo. Si no cabe todo de una vez, haga varias tandas.

1

2 Funda la mitad de la mantequilla y caliente la mitad del aceite en una sartén de fondo pesado.
Fría por tandas los triángulos de pan, 2 minutos por cada lado, hasta que se doren. Añada un
poco más de mantequilla y aceite si es necesario. Retire el pan con una espumadera y escúrralo
sobre papel de cocina. Emplátelo y manténgalo caliente.

3 Vierta la mantequilla y la leche restantes en la sartén, junto con el azúcar y el jarabe de caña,
y cueza la salsa, sin dejar de remover, hasta que esté bien caliente y borbotee. Viértala por
encima de los triángulos de pan y sirva el postre.

2

3

$$

peras al horno con canela

- para 4 personas
- tiempo de preparación: 10 minutos
- tiempo de cocción: 30 minutos

4 peras maduras
2 cucharadas de zumo de limón
50 g de azúcar moreno claro
1 cucharadita de canela molida
55 g de margarina ligera
450 g de natillas desnatadas
tiras de piel de limón, para
  decorar

1 Precaliente el horno a 200°C. Pele las peras y quíteles los corazones. Córtelas por la mitad a lo largo y úntelas con zumo de limón. Colóquelas en una bandeja de horno antiadherente pequeña, con la cara cortada hacia abajo.

2 Caliente el azúcar con la canela y la margarina en un cazo a fuego lento, removiendo constantemente, hasta que se disuelva. Mantenga el fuego suave para que no se evapore demasiada agua de la margarina. Vierta la mezcla por encima de las peras y áselas en el horno precalentado de 20 a 25 minutos o hasta que estén tiernas y doradas. Vaya bañándolas con la salsa de vez en cuando.

3 Caliente bien las natillas y sírvalas en 4 platos de postre calientes. Sirva 2 mitades de pera en cada plato, decoradas con ralladura de limón.

1   2   2

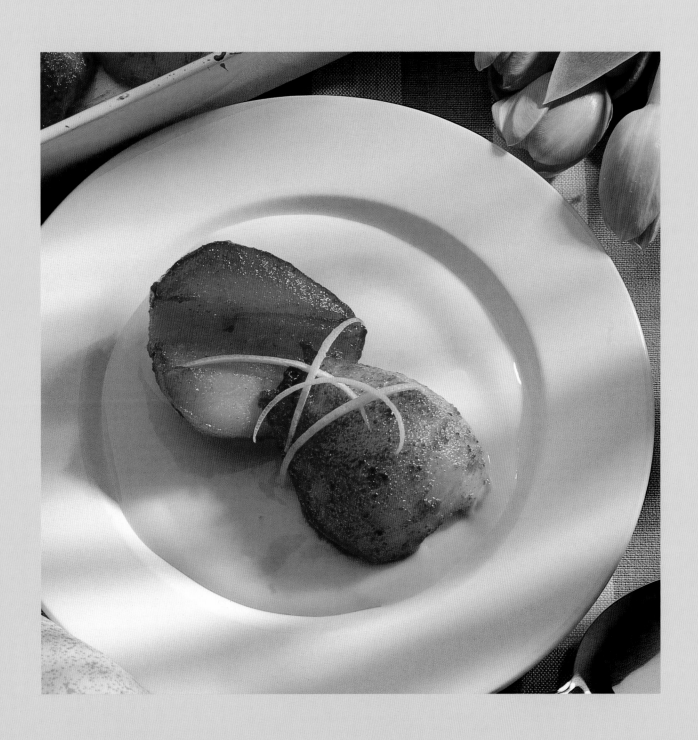

tiramisú rápido

$$$

- para 4 personas
- tiempo de preparación: 15 minutos
- tiempo de cocción: 0 minutos

225 g de mascarpone o queso crema

1 huevo con la yema y la clara por separado

2 cucharadas de yogur natural

2 cucharadas de azúcar extrafino

2 cucharadas de ron oscuro

2 cucharadas de café solo cargado

8 bizcochos de soletilla

2 cucharadas de virutas de chocolate negro

1 Introduzca el queso en un bol grande, añada la yema de huevo y el yogur, y bátalos con una cuchara de madera hasta obtener una mezcla homogénea.

2 En un bol aparte muy limpio y sin rastros de grasa, trabaje con un batidor de varillas la clara de huevo a punto de nieve. Agregue el azúcar, bata de nuevo e incorpore la mezcla al queso con un movimiento envolvente.

3 Vierta la mitad de la mezcla en 4 copas de helado altas.

4 Mezcle el ron y el café en un plato llano. Sumerja los bizcochos brevemente en la mezcla y a continuación pártalos por la mitad o en trozos más pequeños, si es necesario, y distribúyalos entre las copas.

5 Incorpore la mezcla de ron y café al queso restante y repártala entre las copas.

6 Esparza por encima las virutas de chocolate y sirva las copas de tiramisú de inmediato. También puede conservarlas en el frigorífico hasta el momento de servir.

tortitas con albaricoque

$

- para 4 personas
- tiempo de preparación: 15 minutos
- tiempo de cocción: 10 minutos

2 cucharadas de azúcar
extrafino

1 cucharadita de canela
molida

125 g de harina

una pizca de sal

2 huevos ligeramente
batidos

125 ml de leche

400 g de albaricoque
en almíbar

aceite de girasol, para
untar las tortas

2

1 Mezcle el azúcar y la canela en un bol y resérvelos.

2 Tamice la harina y la sal en un bol aparte. Bata los huevos y la leche con la harina hasta obtener una masa homogénea.

3 Escurra los albaricoques y añada el almíbar a la masa. Bata hasta que se mezclen bien. Corte los albaricoques en trozos grandes y resérvelos.

4 Caliente una plancha grande para crêpes o una sartén de fondo pesado y úntela con aceite. Vierta la masa y cuézala a fuego medio entre 4 y 5 minutos, o hasta que la cara inferior se dore. Dele la vuelta con una pala y cocine la torta por el otro lado durante 4 minutos, o hasta que se dore. Corte la torta en trocitos con 2 cucharas o tenedores.

5 Añada los albaricoques a la sartén y caliéntelos un poco. Reparta los trozos de torta y los albaricoques entre 4 platos. Espolvoréelos con la mezcla de azúcar y canela, y sírvalos de inmediato.

5

buñuelos de manzana

$

- para 4 personas
- tiempo de preparación: 10 minutos
- tiempo de cocción: 10 minutos

aceite de girasol, para freír	2 cucharaditas de canela
1 huevo grande	molida
una pizca de sal	55 g de azúcar extrafino
175 ml de agua	4 manzanas golden o reinetas
55 g de harina	peladas y sin corazón

1 Vierta el aceite en una freidora o una sartén grande de fondo pesado y caliéntelo a 180 o 190°C, o hasta que un trozo de pan se dore en 30 segundos.

2 Mientras tanto, trabaje el huevo y la sal con una batidora eléctrica a punto de nieve. A continuación incorpore el agua y la harina, y bata ligeramente (no importa que la textura no sea totalmente homogénea).

2

3 Mezcle la canela y el azúcar en un recipiente poco hondo y resérvelos.

3

4 Corte las manzanas en rodajas de 5 mm de grosor. Vaya pinchando cada rodaja con un tenedor y sumergiéndolas en la masa para que se impregnen bien. Fríalas por tandas en el aceite caliente, 1 minuto por cada lado, hasta que se doren y se inflen. Retírelas con una espumadera y escúrralas sobre papel de cocina. Manténgalas calientes mientras fríe el resto. Páselas a una fuente grande, espolvoréelas con el azúcar con canela y sírvalas.

4

gratinado de melocotón y manzana

■ para 4 - 6 personas

■ tiempo de preparación: 15 minutos

■ tiempo de cocción: 30 minutos

1 manzana ácida

2 manzanas dulces

125 ml de agua fría

400 g de rodajas de melocotón en conserva en su jugo escurridas

85 g de harina

55 g de copos de avena

55 g de azúcar moreno

55 g de margarina poliinsaturada, natillas hechas con leche desnatada, queso fresco natural desnatado o yogur, para servir

1 Precaliente el horno a 190°C. Pele las manzanas, retire los corazones y córtelas en rodajas. Introdúzcalas en un cazo junto con el agua. Llévelas a ebullición, tape el cazo y cuézalas a fuego lento, removiendo de vez en cuando, durante 4 o 5 minutos, o hasta que estén tiernas pero firmes. Aparte el cazo del fuego y escurra el líquido sobrante. Agregue las rodajas de melocotón y pase toda la fruta a un molde refractario de 1 litro de capacidad.

2 Mezcle la harina, los copos de avena y el azúcar en un bol. Añada la margarina y amase con las yemas de los dedos hasta conseguir una consistencia de migas finas.

3 Esparza las migas por encima de la fruta, formando una capa uniforme, y gratínelas en el horno precalentado durante 20 minutos o hasta que se doren. Sírvalas calientes, acompañadas de natillas. Es preferible comer este postre el mismo día en que se prepara. Las sobras deben conservarse en el frigorífico y consumirse en las 24 horas siguientes.

1   1   2

índice